子育てハッピーアドバイス2

スクールカウンセラー・医者
明橋大二 著

イラスト 太田知子

1万年堂出版

はじめに

イギリスの絵本作家、ジェズ・オールバラの作品に『ぎゅっ』という題名の絵本があります。

森をお散歩していた、サルのジョジョ君。
動物の子どもたちが、お母さんに、
抱っこされているのを見つけるたびに、
「ぎゅっ」とうれしそうにさけびます。

ゾウさん、キリンさん、カバさん、
みんな優しくお母さんに抱っこされています。

ところが、ジョジョ君、そのうちに、何だか元気がなくなってきます。

顔が、しだいにくもって、とうとう泣きだしてしまいます。

なぜでしょう。


そう、ジョジョ君は、お母さんが恋しくなってきたのです。みんなが抱っこされているのを見て、うらやましくなってきたのです。

その泣き声を聞きつけて、ジョジョ君のお母さんがやってきます。

お母さんを見つけたジョジョ君は、「ママー」とさけびます。

そして、いっぱい、お母さんに抱っこしてもらいます。

そのときの、ジョジョ君の、
安心しきったうれしそうな顔！

　ここには、子どもが、どういうときにさびしくなるか、悲しくなるか、そしてそれを癒やす、抱っこの偉大な力が描かれています。

　平成十七年十二月に発刊された『子育てハッピーアドバイス』に届いた、非常に多くの愛読者カードを読んでいて（ありがとうございます。一通一通、大切に読ませていただいています）、いちばん驚いたのは、「抱き癖」をつけてはいけない、という迷信が、いまだに、若いお母さんの間で、根強く流布していることでした。

　中には、「自分は、周囲から、抱き癖をつけてはいけないと言われ、子どもが泣いても、抱っこしないようにしていた。それで、自分自身も悲しい思いをしていた。ところが、こ

の本を読んで、抱っこしてもいい、むしろいいことだと知り、これから心置きなく抱っこできると思うと、とてもうれしい」という感想もありました。

これに限らず、子育てに大切な知識が、今の親御さん方に必ずしも、正しく届いていない、という現実があります。

しかし、育児に奮闘しているお母さんに、なかなかゆっくり育児書を読む時間はありません。働き盛りで、毎日残業のお父さんにもなかなかそんな余裕はありません。しかし、そういう人こそが、実はいちばん、必要としているのも事実だと思います。

最も必要としている人に、最も必要な形で。

そう願って、マンガ、イラストを多用した、『子育てハッピーアドバイス』の、この本は、続編になります。

前作にスペースの関係で入れることができなかった内容を、Q&Aの形で収録し、新たに、必要な内容を書き下ろしました。育児は、なかなか思うようにいかないものですが、一つのヒントとして、肩の力を抜いて読んでいただければと思います。

この本が、子育てに奮闘する、多くの親御さんに、安心と、自信を、少しでもお届けできたなら、これ以上うれしいことはありません。

明橋大二

子育てハッピーアドバイス２　＊もくじ＊

Q1

子育てで〝これだけは忘れてはならない〟ということは？……16

▼子どもを、自分の持ち物のように思わないこと。子どもの人生は子どもの人生、親の人生とは別です

Q2

うちの子は、「言えば言うほど、逆効果」になってしまいます。どうしてでしょうか……20

▼しつけや勉強が自然に身につく子どもに育てるために、いちばん大切なこと

もくじ

Q3
子どものしつけは、いつから始めればいいのでしょうか……28
発達段階に合わせた〝しつけ〟をアドバイスします

Q4
子どものやる気を引き出すには、どんな言い方をすればいいのでしょうか……46
「ありがとう」「助かったよ」「うれしいよ」の言葉かけが、子どもの本当のやる気を引き出します

Q5
「子どもを認めることが大切だ」といわれますが、具体的に、どういう言葉をかけたらいいでしょうか……56
▼励ますつもりで言っているのに、逆に、相手のやる気をなくさせてしまう場合があります
▼意外に簡単に、相手を元気づける言葉があります

Q6
「やればできるのに」と、子どもを励ましていますが、ちっともやろうとしません。どうすればいいのでしょうか……64
▼「できないのは、あんたが怠けているからだ」と伝わってしまうと、やる気はどんどんなくなっていきます

やれば できる!
やれば できる!
やれば できる!

もくじ

Q9
ゲームを長時間やって、なかなかやめようとしません。子どもに、どのように声をかけたらいいのでしょうか……80
▼ちょっと工夫すれば、子どもの自主性を育てる言い方ができます

Q10
子どもの悩みがわかったとしても、どう接したらいいかわかりません……88
▼わかってやるだけでじゅうぶんです。「つらかったね」「嫌だったんだね」と伝えてください

目が悪くなるわよ!

もくじ

Q11
きょうだいの個性に応じた育て方は？ 92
時には、お母さんと子ども、一対一のラブラブタイムを作ってみてはいかがでしょう

Q12
子どものけんかに親が入ってもいい？ 96
子どもは、けんかによって人間関係を学んでいきます。へたに大人が介入するから、こじれてしまうのです

Q13

子どもが宿題や、持ち物の準備など、やるべきことをやりません。口うるさく言っても、ちっとも効果がありません。

どうしたらいいでしょうか……100

▼子どもの問題は子どもに解決させる。子どもの問題を大人のほうに取ってしまわない

Q14

悪いことをしたのに、少しも自分の非を認めようとしません。人のせいにばかりして、謝りません。

どのように話をすればいいのでしょうか……106

▼非を認めることができないのは、一見、プライドが高そうに見えますが、実は、自己評価がとても低く、全面否定されたと受け取るからです

あーせい
こーせい
ジー
ジー
ジー

フン!

もくじ

Q15
体罰は、本当にいけないのでしょうか……112
体罰を加えると、そのときは言うことを聞くようになりますが、長期的には、暴力的になったり、反社会的になったりします

Q16
祖母に過保護にされたせいか、わがままな子になり言うことを聞きません……122
わがままではなく、「お母さん、ぼくのことも見て！ぼくも抱っこしてよ！」というサインなのです

Q17

おじいさん、おばあさんは、子どもにどう接したらいいのでしょう……132

▼孫ができたらガミガミどならないようにしましょう

▼子ども夫婦の子育てを尊重し、基本的には、ほめてあげてください

Q18

夫は、家のことを、私に任せっきりにしています……138

▼熟年離婚の夫婦の溝は、子育ての時期から始まっていることが多いのです

孫がかわいくてのー
そうそう

いってらっちゃい
ゴミ
ゴミ

もくじ

Q19
専業主婦の妻が「疲れた」と言うのは、理解できません……144
▼仕事を持っている女性よりも、専業主婦のほうが、ストレスを多く抱えている、といわれています

クイズ
『三つ子の魂百まで』の本当の意味とは？……85

投稿
読者の皆さんからの投稿のページです
親と子のほのぼのエピソード……52・118

Q1

子育てで〝これだけは忘れてはならない〟ということは？

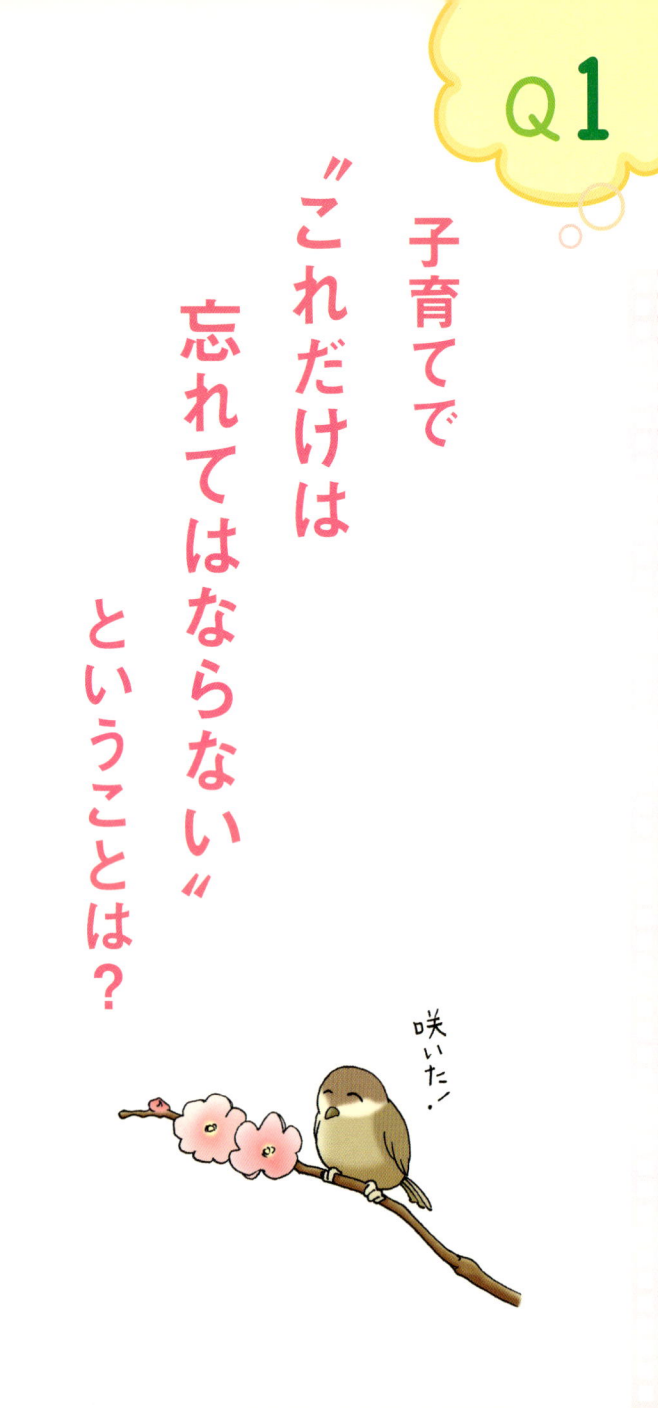

子育てには、いろいろな
考え方があると思いますが
どんな場合でも
これだけは忘れては
いけないということは——
子どもを、
自分の持ち物のように
思わない、
ということだと思います

子どもといっても、一人の、人格を持った人間です
ここから、子どもの気持ちを尊重し
クマさんつれていきたいの？
わかったわ
ん！
子どもなりの生き方を大切にするという姿勢が生まれてくると思います
子どもをストレスのはけ口にしない
むしゃくしゃ
あー イライラする。向こう行って！
子どもの人生を、親の自己実現のために使ったりしない
りっぱな医者になるのよ！

子どもの人生は
子どもの人生
親の人生とは
別です
それを踏まえたうえで、
お互い、よくよくの縁で、
親子としてこの世に生まれて
きたんですから、ともに
支え合うことができれば、
それ以上のことはないと思います

Q2

うちの子は、「言えば言うほど、逆効果」になってしまいます。どうしてでしょうか

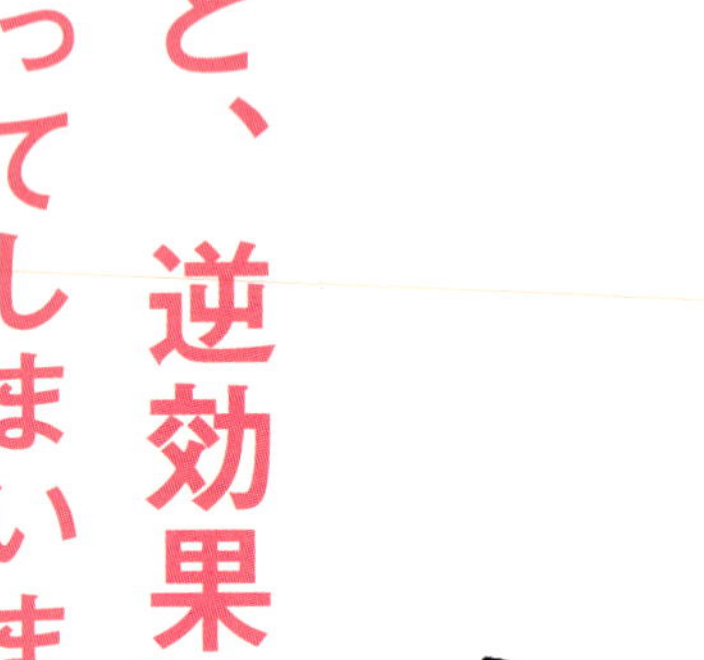

私たちが生きていくうえで、いちばん大切なことは、
『自己評価』『自己肯定感』といわれるものを持つことです。

私は存在価値があるんだ、
大切な人間なんだ、
生きていていいんだ、
という気持ちです。

この心の土台が、私たちに築かれるのが、
年齢でいうと、
だいたい0〜3歳くらいといわれています。

お母さんに抱(だ)っこされたり、
よしよししてもらったり、
だだをこねたり、
一緒(いっしょ)に笑ったり、

そういうことを通じて、
この気持ちが
育(はぐく)まれていくのです。

この気持ちを土台にして、次に可能になるのが、
『しつけ』『生活習慣』といわれるものです。
これが、身につくのが、だいたい4歳から6歳といわれています。

さらに、この自己評価、しつけを土台にして、
初めて可能になるのが、『勉強』です。
これが、だいたい7歳からです。

それまでに、自己評価を育み、
しつけをある程度身につけた子どもは、
7歳くらいになると、
いろいろなものに対する好奇心が
出てきます。そういうときに、
ちゃんと教えてもらうと、
よく身につきます。
ですから、小学校の勉強が、
6、7歳から始まるのは、
理由のあることなのです。

今までの教育論とか、子育て観は、この土台になる『自己評価』は当然できているものという前提でなされていました。

ですから、そういう子どもに必要なのは、まず、『しつけ』であり、『勉強』といわれてきたのです。

また、子どもに何か問題が起きるのは、『しつけ』がなされていないから、となるわけです。

ところが、現在、いろんな気にかかる行動や症状を示す子どもを見ていると、その前提となっている『自己評価』の部分が、しっかりできていない、あるいはボロボロに傷ついている、という子どもが少なくないのです。

そういう子どもに、『しつけ』とか、

『勉強』を教えようとしても、身につかないばかりか、逆に、すでに低くなっている『自己評価』をさらに下げてしまう、傷つけてしまうことになりかねません。

「言えば言うほど、逆効果」「叱れば叱るほど、悪循環」という子は、たいてい、このいちばん大切な、『自己評価』の部分が、しっかりできていないのです。そういう子は、いったん、『しつけ』や『勉強』はおいておき、まずしっかり『自己評価』を育むことが必要です。

ですから、子育てでいちばん大切なのは、この『自己評価』をしっかり育むことです。

また、これさえ、しっかりできていれば、その後、しつけや、勉強も、それなりに、自然と身についてくるのです。

また、さまざまな事情で、小さいときに、『自己評価』をしっかり育むことができなかった子どもも、あります。
その場合もそれでもう手遅れ、ということはありません。

いつでも気がついたときに、やり直せば、少々時間はかかっても、必ず取り戻すことができるのです。

Q3

子どものしつけは、いつから始めればいいのでしょうか

子どもの発達段階に合わせた〝しつけ〟

しつけとは、一言で言うと、自分をコントロールする術を、身につけることです。具体的には、基本的生活習慣と、対人関係（社会）でのルールです。

ただ、自己評価をじゅうぶん、育んでいない段階で、しつけを無理にしようとすると、それは、身につかないばかりか、逆に子どもの心の成長を損なうことになります。そこで、子どもの発達段階に合わせたしつけが大切になります。

では、このことを、具体的に見てみましょう。

0歳～1歳のしつけ

赤ちゃんは、自分の気分や欲求を感じることはできますが、相手の気持ちを理解することはできません。

ですから、この時期の子どもに、**ルールを作って守らせようとしても、無理です。赤ちゃんは、それを理解することも、守ることもできないのです。**

この時期は、赤ちゃんは、親の事情などまったくわかってくれないので、親は、子どもに振り回されます。でも、そういう子どもの気分や欲求にこたえていくことで、子どもの中に、自分の存在そのものが受け入れられている、生きていていいんだという気持ち（自己評価、自己肯定感）が育まれるのです。

この時期に大切なのは、しつけよりも、まず、自己評価を育むことです。

1歳～2歳のしつけ

この時期の子どもは、親の言葉や指示をだいぶ理解できるようになります。
しかし、理解はできても、それに従うことはできません。
何かにつけて「イヤ！」を連発します。
親は、同じことを、何度も根気よく言い聞かせることになります。

「イヤ、イヤ」と言うのは、「自分も一個の人間なんだ」「自分の人格を認めて！」と言っているのです。

この自己主張を認めて、つきあっていくことで
（それは、何もかも言いなりになることとは違いますが）、
親に従っても、反抗しても、
親はちゃんと自分のことを見ていてくれるんだ、
ありのままの自分でいいんだ、
という自己評価が育まれるのです。

× 自己主張を否定したり、逆に突き放したりする

どーして言うこと聞かないの!!
ヤダー
自分でー!!
自分でー!!
じゃあ好きにしなさい!
もーしらん!
あ
ほら見なさい!
お母さんの言うとおりにしないからよ!!

○ 自己主張を認め、つきあう

あーん
ヤダー自分でー自分でー
よーし、自分でできるかナー
はい!
がんばってー
♪
でもきっと落とすから下で支えてと……見つからないように
パチパチ
わあすごい、自分でできたねー
ぱくっ
やった!

2歳～3歳のしつけ

この時期の子どもは、相手の言っていることを理解できるだけでなく、自分の意志をかなり上手に伝えられるようになります。

しかしまだ、親に言われるとおりにしたり、指示に従ったりはじゅうぶんにはできません。また、ほかの子どもと一緒（いっしょ）に遊んだり、協力したりするには、親の助けが必要です。

いばったり、わがままや気まぐれな行動をとったりすることが多く、集団遊びがうまくできないこともあります。

親だけでなく、きょうだいや友達に対しても、自己主張を始める時期です。

しかし、相手が子どもだと、
親のようには、
こちらの都合に合わせてくれません。
そこで、自己主張の
ぶつかりあいになります。

その中で、子どもは、
対人関係のルール、
言っていいことといけないこと、
やっていいことといけないことの
区別を学んでいくのです。

時には友達関係の中で傷つくこともありますが、そんなときに必要になるのが、親の支えです。

その意味でも、この時期までに、**しっかり親子関係で、子どもが親に何でも言える関係になっている（自己評価が育まれている）ことが大切です。**

○
おかあたーん
おにいたんがぶったー!!
よしよし痛かったね
すり
すり
そうなの
だけどあれはお兄ちゃんのだから取っちゃだめなんだよ
ぼくがいけなかったのかな……?

3歳~5歳のしつけ

幼稚園、保育園に通うころになると、子どもは、簡単なルールを守れるようになります。

ただ、そのときの気分に左右されることも多く、また、できる程度も、日によって大きく差があります。落ち着いてほかの子どもと協力できるようになったと思えば、ルールをわざと破って親に反抗することもあります。

多くの子どもは、他人の気持ちを理解できるようになります。

（1）正しく、公平な行動をしたい気持ちが芽生えるので、親は、何が正しいことなのかをきちんと教える必要があります。

×

ほらっ
ここから
入っちゃいなさい！

○

順番を守ろうね
うん

(2) 子どもが何か間違ったことをしたときには、どこが間違いなのかを話して、次からはどうしたらよいか、子どもに考えさせます。

× 理由も言わずに一方的に叱る

○ 何がいけないか考えさせる

わーい
あれ、そのボールどうしたの？
公園に落ちてた
だれかの忘れ物かもしれないよ
えー
今ごろ捜してるかもしれないよ。早く返してこよう
自分も、大事な物なくなっちゃったら嫌でしょう？
こく
うん

(3) 親が、子どもにどういう子どもになってほしいか、きちんと言葉にして伝えることが大切です。

× 一方的に叱る

草取りがんばったらごほうびもらった！
あ！
こんなにたくさん独りで食べられるなんて
しあわせ～
ひょいぱく
ひょいぱく
独りで食べちゃったの!?
どーして弟や妹に分けてあげないのっ
ほんとにいじきたないんだから！

どうしたらいいか伝える

草取り がんばったら ごほうび もらった よー
あら
ニ
弟や妹にも 分けて あげようね
んー
はい あげる
ニコニコ
優しいね
喜んで くれると 自分も うれしい よね
なで なで
お母さんも!
うん!

ところで、この0歳からの発達のプロセスは、実は、もうちょっと大きくなった子どもが、不登校や、心身症などで、心が傷ついたとき、いったん、赤ちゃん返りをして、回復してくる過程ととてもよく似ています。

彼らは、そうやって、傷ついた自己肯定感をもう一度、取り戻そうとしているのだと思います。

Q4

子どものやる気を引き出すには、どんな言い方をすればいいのでしょうか

子どもを何とかやる気にさせようと
「あれしなさい」「これしなさい」と言っても、
ちっともやる気にならないことがありますね。
そういうときは、少しやり方を変えて、

「ありがとう」
「助かったよ」
「うれしいよ」

という言葉で、方向づけをする、という方法があります。

たとえば、みんなの使う居間に、おもちゃやマンガやお菓子(かし)の
クズなどが散乱しているとします。
子どもはちっとも片づけようとしません。
そういうときに、どう言ったらいいでしょうか。

●命令、指示を繰り返すと……

もう、また散らかして！
晩ご飯までにちゃんと片づけておきなさい！
は、はい……
まったく
ぶつぶつ
ん!?
よいしょ
あ!!
もう！マンガなんか見てないで
早く片づけなさい!!
ごっごめんなさい
わわっ
早く早く！ぐずぐずしないの!!
きゃん
きゃん
はー
ふー
確かに、部屋は片づきますが、子どもも親も、相当ストレスがたまります

子どもの方向づけを、
「叱る」「怒る」という方法ばかりでしていると、
最初は言うことを聞きますが、
そのうちに、反発するか、親の顔色を
見るようになり、最後は、自分の存在は、
親を不機嫌にさせる、親を不幸にする、
自分なんかいないほうが、親はよほど幸せなんだ、
と思って、自己評価が低くなります。

逆に、
「ありがとう」
「助かったよ」
「うれしいよ」
という言葉で方向づけをしていくと、時間はかかりますが、
自分の存在は、親の役に立つんだ、親を喜ばせることができるんだ、
と、自己評価が高くなる、ということです。

「叱る」「怒る」を繰り返すと……

●「ありがとう」「助かったよ」「うれしいよ」が大切

あらあら！
こんなに床(ゆか)が散らかってると危ないじゃないの
よいしょ
よいしょ
よいしょ
ちらっ
……
パタン
あらっ今日は手伝ってくれるの？
うれしいわ
えへっ
にこにこ
にこにこ

現実には、なかなか難しいですが、ぜひ、試してみてください。

アドバイス

時間はかかるようでも、「ありがとう」「うれしいよ」の言葉かけが、子どもの本当のやる気を引き出します。

親と子のほのぼのエピソード❶

読者の皆さんからの投稿のページです

家事の手抜き好き（？）の私。子どもたちが小学生のころのことです。

テーブルから床に落ちた食べ物を、拾って食べた弟に姉が、

「落ちたの食べて、汚いよ!!」

すかさず弟は言いました。

「いつも、かあちゃんがきれいに掃除しているから、大丈夫!!」

私は、グサッ。思わず三人で顔を見合わせて、噴き出してしまいました。現実は、厳しいです……。

（岩手県　66歳・女性）


幼稚園年少になった長男は、ウルトラマンが大のお気に入り。自分はウルトラマンだと思っています。

ある日、私がドアに指をはさんで痛がっていると、早速、「大丈夫かぁ？　やっつけてやる！」と、ドアに向かって、ウルトラマン光線を出していました。

お母さんは、そんな優しいあなたを産んで育ててきて、本当によかったって、いつもホッとさせられます。その優しさ、いつまでも持ち続けてね。

（愛知県　37歳・女性）

二歳九カ月の息子が、ベッドで寝るとき、いつもオルゴールをかけるのですが、私が体調不良で布団に横になっていると、「ママねんね」「オルゴールかけるね」と言って、布団をかけ直し、枕元のオルゴールをかけてくれます。

「ありがとう」と言うと、笑ってリビングに遊びに行きますが、何度も様子を見に来ます。

一人でかわいそうなので、布団に入ったまま、いろいろ話しかけると、元気になったと思って、布団の上にダイブしたり、布団をめくったり、中に入ってきたりと大暴れ。そうなると、体がだるくても、起きるしかありません……。

（岐阜県　32歳・女性）

私には今、一歳十カ月の娘がいますが、毎日の子育てにバテバテで（だからといって、いい親をしているわけではないのですが）、日々反省することもたくさんありました。

そんなある日、娘が、私に笑いながら言ってきました。

「ママ、いっちばぁ～ん♡」

〝一番〟なんて言葉、教えたこともなく、保育園に通っているわけでもないのに、どこで覚えたんだろ……？

と同時に、とてもうれしくて、涙がこぼれそうになり、思わず娘を抱きしめました。

子育てに自信がなく、何が良くて何が悪いのか、この子にとって、何がいちばん大切なのか、自問自答を繰り返していた日々から、「ママ、いっちばぁ～ん♡」と、少し自信を持たせてくれたあの日、一生忘れることはありません。

（北海道　22歳・女性）

親と子のほのぼのエピソード❷

読者の皆さんからの投稿のページです

いつも、「大きい家が欲しいなー」と言っていた私。

　ある日デパートに行ったときのこと。

「ぼくなぁ、大きくなったら、お母さんに、大きい大きいおうち、買ってあげるしなぁー」と子どもに言われた。

「うれしいわぁー」と私。

「だからな、今、このおもちゃ買ってなぁ」

　やられた！と思ったが、うまいこと言うな、とも思った。（京都府　37歳・女性）

上の息子が、三歳の誕生日を迎えました。夜、ケーキのキャンドルを見つめながら、「ママ、キレイだねえ……」と、自分の名前が書いてあるチョコに、とてもウレシそう。

　その日の夜中の十二時ごろ、目が覚めてしまった息子は、私に、

「ママ、ママの誕生日には、ケーキ買ってあげるからネ。そしてママの名前、チョコレートに書いてあげるから。あと、火つけて、キラキラしてあげる。

　だから、そのときは、ケーキ買うお金、ちょうだいね」。

「あれ？」って思ったけど、その「何かしてあげるよ」という、息子の気持ちが、あったかかった。そのまんま、優しく育ってほしいです。（福島県　26歳・女性）

家事に子どもの世話、倒れた祖母の様子見で病院へと、クタクタの私。

なんだか、泣きたくなって、寝ている長男（七カ月）の横で泣いていたら、遊んでいたはずの長女（二歳）が、急いで戻ってきて、ティッシュを取ると、私の顔をポンポンって、ふいてくれた。

そして「じょーぶ」（大丈夫）と言ってくれた。

思わず、長女を抱きしめて、ワンワン泣いてしまった。


（山梨県　31歳・女性）


消防自動車が好きでたまらない、欲しくてたまらないわが子。三千円の消防自動車を買ってきてやると、それはそれは、大喜び。ホースの所を指さして、「ここから火が出るの？」と、勘違い。

それにも増して、いじらしいのは、私のそばに来て「ありがとう」。そして、みんなの前で、「お父さん、好きな人」「は～い」と、一人でやってくれる。

また、何か買ってきてやろうと思う（親バカなのは、わかっていますが……）。


（鹿児島県　54歳・男性）

Q5

「子どもを認めることが大切だ」
といわれますが、
具体的に、どういう言葉を
かけたらいいでしょうか

相手にかける言葉に、大きく分けて、二とおりあります。

一つは、現状より上のレベルを求める言葉です。

もう一つは現状をまず認める、肯定する言葉です。

これは、どちらが正しい、ということはありません。ただ、相手の状況によって、適切に使い分ける必要があります。

① 現状より上のレベルを求める言葉

「もっと、○○したら?」

「もう少し○○しようね」

「どうして○○しないの?」


というような言葉です。

こういう言葉によって、相手がもっと上のレベルに挑戦し、やり遂げることができたなら、それは大きな達成感になりますし、自信になります。

しかし、相手に余裕がないとき、疲れているとき、元気がないとき、自信を失っているときには、相手を否定する言葉になることがあります。決して否定するつもりはない、単に励ましているつもりでも、そのように伝わってしまうことがあるのです。

●励ましているつもりでも……

明日はマラソン大会……
ボクは運動が苦手なのに……
……できれば休んでしまいたいよ
はぁ
よーいドン
はー
もうダメー!!
はー
なに!? 100位だったって!?
もっと練習しないとだめじゃないか!
しゅん……

②現状を認める、肯定する言葉

これに対して、相手の現状を認める言葉は、どう言えばいいのでしょうか。

これは意外にカンタンです。

「よく○○しているね」

「よく○○したね」

ここの○○に、相手が現在やっていることを入れるのです。

ただ、気をつけなければいけないのは、よく○○した、という○○の中には、プラスの言葉を入れないといけない、ということです。

おかえり！
よく100位
とってくれたな！

これはちょっとマズイです。

これは皮肉です。

それでは、どうプラスに変えればいいでしょうか。

●現状を認め、プラスの見方をしていく

同じ物事でも、必ずプラスの見方とマイナスの見方があります。

マイナスの見方を、プラスに変えることで、気持ちまで、ずいぶん変わってくることがあるのです。

こういう肯定的な言葉を、自信を失った子どもにかけていくと、少しずつ、元気を回復してきたりします。

アドバイス

「よく○○しているね」

「よく○○したね」

という言葉をかけていきましょう。

これは子どもだけではありません。
子どもが心配のあまり、元気をなくしているお母さん、お父さんにも同じことです。

●現状より上を求められる

あっちへ
行け！
わーん
ボクが
使うの！
あーん
ああ……
うちの子は
なんでこんなに
乱暴なの
かしら
ずーん
お母さんに
相談して
みようか
……
もっとあなたが
しっかり
しつけないと
もう少し
愛情を
かけなきゃ
だめよ
やっぱり私の
育て方が
悪いのね……

●現状を認められた！

フロ
メシ
寝る
お父さんにも言えないし……
あっ先生
おはよう
おはよー
こんなにだれも助けてくれない中でよくがんばって子育てしておられますね
ちょっと元気のよすぎるところはありますが、とっても優しいところもありますよ
お母さんが一生懸命愛情を注いでこられたからですね！
じいしん

子どもと親をとりまく眼差しが、いっそう、温かいものになってくれれば、と願っています。

Q6

「やればできるのに」と、
子どもを励ましていますが、
ちっともやろうとしません。
どうすればいいのでしょうか

「やればできるんだから」という言葉は、私たちはほめ言葉と思っています。
あなたは、本当は、能力がある、と伝えているつもりなんです。
ほめているのに、どうして、やる気を出さないのか、ということです。

確かに、「あんたは、やればできるんだよ」と励(はげ)まされ続(つづ)けて、
自信を持ち、できるようになった、という人もあります。
しかし、逆に、何度言ってもやろうとしない場合もあります。
そういう場合は、やらないのでなく、できないのです。
それは能力的なものかもしれないし、意欲がないからかもしれない。
とにかくできないのです。
できない人に、「やればできるのに」と言い続けると、
どうなるでしょう。

●やればできるのに！

また算数50点か……
あなたはやればできるのに
コチッ
どうしてもっとがんばらないの！
ガツンッ
これ以上どうすればいいの……
ずーんっ

要するに、やればできるのに、できないのは、あんたが怠けているからだ、たるんでいるからだ、と伝わってしまいます。

こうなると、いくら言われても、ほめ言葉どころか、責められていると感じるだけで、やる気はどんどんなくなっていきます。

こういう場合は、できないんだ、といったん、あきらめてみることも必要です。

●「できないんだ」と、あきらめてみる

算数はどうしても苦手なのね。わかったわ
ほっ
あら、国語は70点
国語のほうはけっこうできたじゃないの
じゃあ今はこっちに力入れようか
うん!

Q7

子どもが、いじめにあうのではないかと心配です

うちの子どもは、不器用で、動作が遅(おそ)いです。このままでは、いじめにあうのではないかと心配です。親として、どのような点に気をつければいいでしょうか。

「子どもが、不器用で、動作が遅い、だから少しでも、今のうちに、しっかりしつけをして、きびきびとできるようにしたい」、というお気持ちはよくわかります。

その方向で、努力して、向上できれば、それに越したことはありません。

ただ、この子の将来にとって、いちばん大切なのは、

実は、動作が早いとか、器用、ということではありません。

「確かに自分は、不器用で動作が遅いけれど、自分は自分なりにがんばってるんだ、だから、ここにいていいんだ」

と思えるかどうか、いわゆる、自己評価、自己肯定感です。

●遅いのを、直そうとすると……

どうしてもっと早く食べられないの！
そわそわ
早く早く
急いで！
ああもう！どうしてこう遅いのかしら
学校でいじめられないか心配だわ
イラ
イラ
のろ
のろ
いじめに負けない強い子にしなければ！
剣道――
むりー
空手――
むりー
ぼくは何の取りえもないダメ人間……
もしかするといるだけ迷惑な人間かも……

これでは、本当にいじめにあっても、やっぱり自分はダメな人間だから、いじめられるんだ、自分はいじめられて当然の人間なんだ、と思って、抵抗（ていこう）できなくなります。
すると、よけいにいじめられることになります。

アドバイス

大切なことは、不器用でも、動作が遅（おそ）くても、子どもなりの努力、がんばりが必ずあるはずだから、それをきちんと認めていくことです。

おまえはいつも支度に時間がかかるけど、忘れ物をしたことがないなあ……
なかなか慎重だな。エライぞ！
えへ
宿題まだやってる……
だけどとても丁寧な字で……
いいことだ
じっくりやるタイプなんだな
……でも給食食べ終わるのいつもいちばん最後で、みんなにのろまって言われるんだ……
ええ!?

おまえは決して人からバカにされるような人間じゃないよ
精いっぱいやっている
いいヤツじゃないか
だからそんなおまえをバカにするやつがいたら
そっちのほうがおかしいんだよ
よーし！
お父さん、ありがとう！
自信がつくようにがんばるよ！

Q8

「叱ってはいけない」
と思うのですが、
子どもを目の前にすると、
叱ってしまいます。
どうすればいいのでしょうか

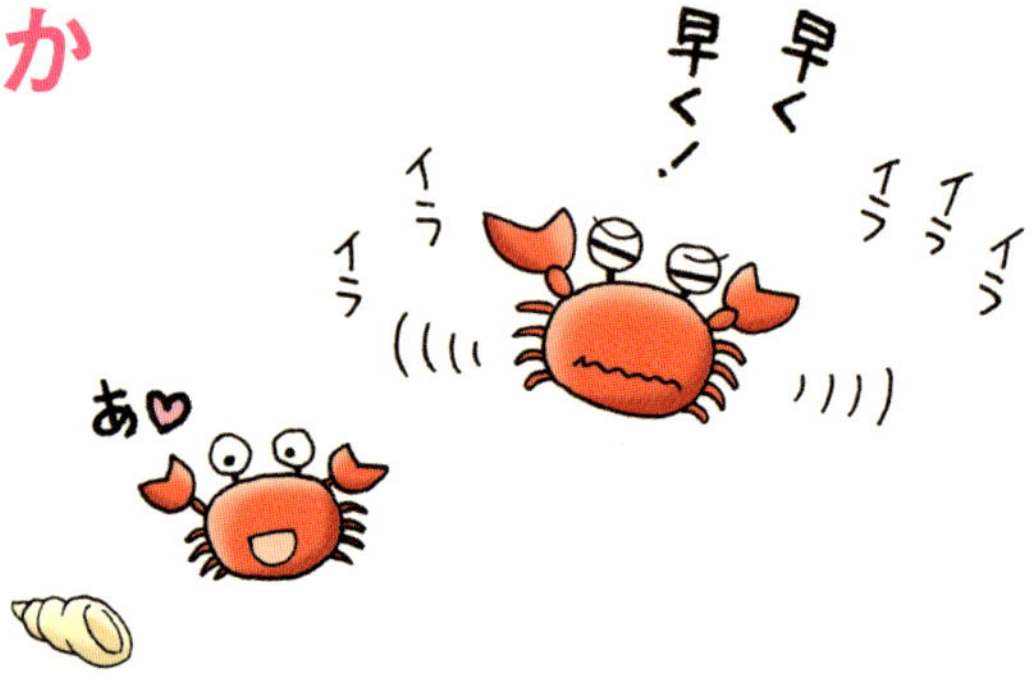

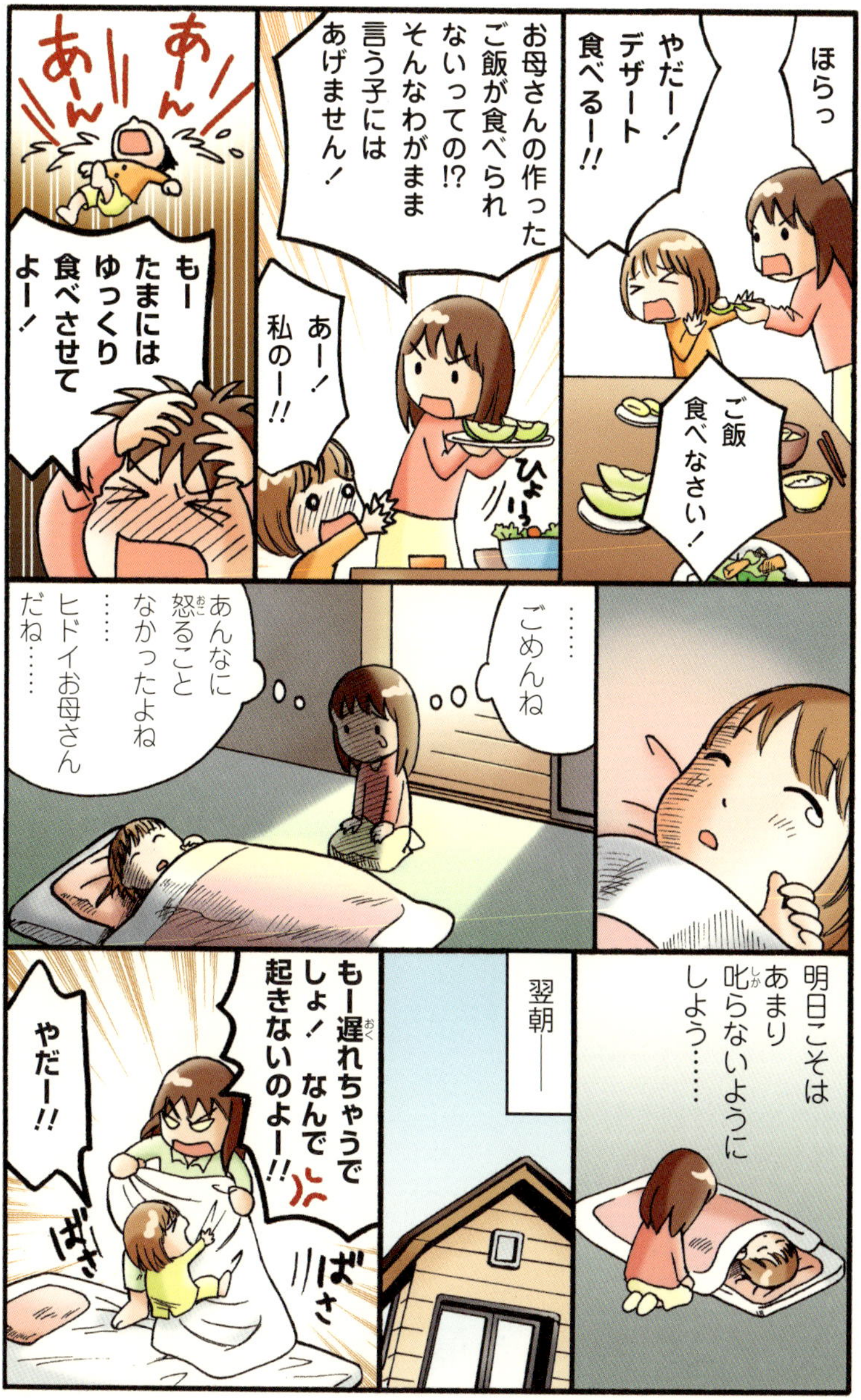

ほらっ
やだー！
デザート
食べるー!!
ご飯
食べなさい！
お母さんの作った
ご飯が食べられ
ないっての!?
そんなわがまま
言う子には
あげません！
あー！
私のー!!
ひょいっ
あーん
あーん
もー
たまには
ゆっくり
食べさせて
よー！
……
ごめんね
あんなに
怒ることなかったよね
……
ヒドイお母さん
だね……
明日こそは
あまり
叱らないように
しよう……
翌朝──
もー遅れちゃうで
しょ！ なんで
起きないのよー!!
やだー!!
ばさ
ばさ

アドバイス

いったん、あきらめてみることも必要です。

実は、こういうお母さんは、まじめで、責任感の強い人が多いのです。そして、子どものことは、自分の責任だ、と思っておられるのです。

子どもが、宿題もしない、礼儀も知らない、これは自分の責任だ、と、どこかで自分を責めておられるのです。

もしかすると、近所で、「おたくのお子さんは、ちょっとやんちゃすぎるんじゃない？」と言われたり、義理のお母さんに、「もうちょっとちゃんとしつけをしないと」とか言われたりして、気にしておられるのかもしれません。

そうすると、まず子どもがしっかりしてくれないと、自分まで、母親失格の烙印を押されてしまうように思えてきます。子どもの一挙手一投足に、まさに、親子の名誉がかかってきますので、これはたいへんです。

ですから、あまりに子どものことが気になってしかたがない場合は、ちょっと突き放して、いったん、あきらめてみることも必要だと思います。

●あきらめてみる

ご飯ちゃんと食べなさい!!
いらなーいデザート食べるー
コラ！歯を磨きなさい!!
やだーー！
ムカムカ、
よし
あきらめスイッチON
これだけ私が言っても聞かない子なんだから、この子は、こういう子なんだわ
この子はこれ以上どうしようもないんだわ
私もやれるだけのことはやってるし
ずっ
この子もこの子なりにやってるわ

子どもがやんちゃで言うことを聞かないのは、
必ずしもお母さんの育て方が悪いから
とはいえませんし、
ましてや母親失格という意味でもありません。
やんちゃな子でも、
案外優しいところもあるものです。

この子もダメ、
母親もダメ、
ではなくて、
この子もけっこういいとこある、
私もけっこういい子育てしてる、
と思ってほしいのです。
そしてそれはきっと事実です。

8章 「叱ってはいけない」と思うのですが

Q9

ゲームを長時間やって、なかなかやめようとしません。子どもに、どのように声をかけたらいいのでしょうか

ゲームにしても、テレビにしても、だらだら長時間やっていると、母親としては、どうしても気になりますよね。宿題はやったの？　早く寝なさい、とついつい叱ってしまいがちです。よくあるパターンと、ちょっと工夫したお母さんのパターンをマンガで見てみましょう。

●いくら大人が指示をしても……

ゲームは9時までにしなさいよ
……ふあーい
ちょっと！もう9時過ぎたじゃないの！
どうして約束が守れないの!!
──別に約束した覚えないもーん
だってさっき、はい、って返事したじゃないの!!
それは約束したっていう意味じゃないもーん
ブチッ

●子どもに計画を立てさせるほうがよい

けんちゃんの予定はどうなってるの？
うーん
……
ゲーム何時までやる予定かな？
うーん9時まで
そう、わかったわ
9時までね
もう9時になったわよ
えーもう9時？——もうちょっと！
さっき9時って約束したよね
……そうだけどー

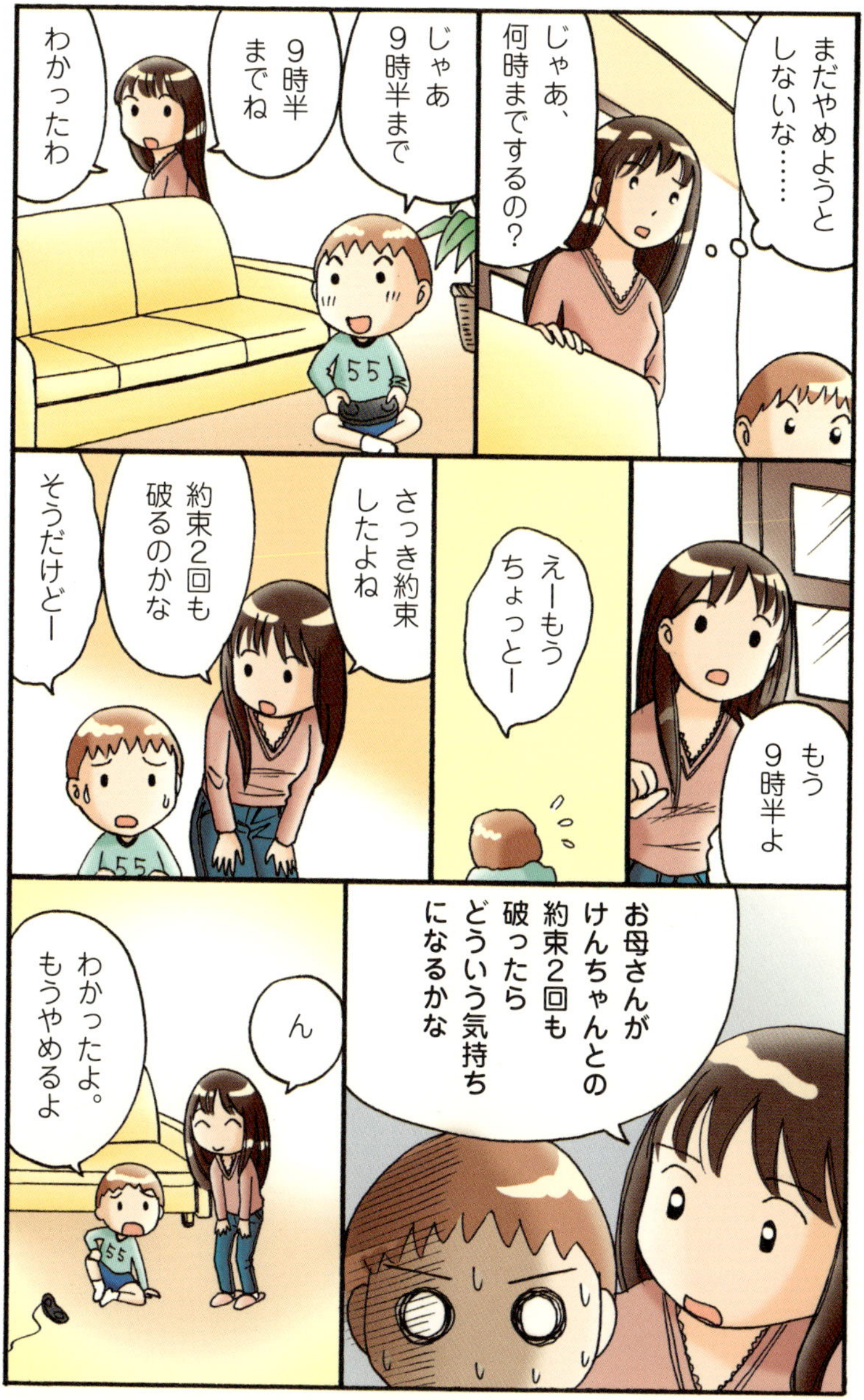
まだやめようとしないな……
じゃあ、何時までするの？
じゃあ9時半まで
9時半までね
わかったわ
もう9時半よ
えーもうちょっとー
さっき約束したよね
約束2回も破るのかな
そうだけどー
お母さんがけんちゃんとの約束2回も破ったらどういう気持ちになるかな
ん
わかったよ。もうやめるよ

後者では、子どもの言葉で、ちゃんと時間を指定しているので、約束が成立しています。

このようにして、子どもに、自分で計画を立て、時間を管理する習慣をつけていくのです。

それを、大人が勝手に決めて指示してしまっては、子どもの自主性も育たないし、いらぬけんかのもとになる、ということです。

明日に
備えて
もう寝よう……

クイズ

『三つ子の魂百まで』の本当の意味とは？

次の3つの中から選んでください。

1
3歳までにしっかりしつけをしておかないと、大人になってもわがままな人になる。

2
3歳までは、母親が家にいて、育児に専念すべき。そのように育てられた子どもは、大人になっても、健康な心で生きていくことができる。

3
3歳までは、じゅうぶん安心できる環境で子どもは育てられるべき。そのように育てられた子どもは、大人になっても、健康な心で生きていくことができる。

答えは、次のページにあります。

正解は、③です。

案外、①と答えた人が多いのではないでしょうか。

①〜③には、どのような問題があるのか、簡単に解説してみましょう。

①

3歳までに、しつけ、すなわちルールや、相手への思いやりなどを、じゅうぶんに理解させることは、まだ、無理です。それを、無理強いすると、たたいたり、叱ったり、恐怖で子どもをコントロールすることになり、心の発達にかえってマイナスです。

②

幼少時期に、お母さんの温かい愛情に包まれることは、とても大切なことですが、それが、イコール、子どもが3歳までは母親は24時間、家にいて、育児に専念しなければならない、仕事をしてはならない（これを三歳児神話といいます）、ということではありません。平成10年の厚生白書は、三歳児神話には、少なくとも合理的な根拠はない、と断定しています。

3

3歳までの子どもの脳の発達は著しく、この時期に、周囲からの愛情に包まれ、安心できる環境の中で育てられることは、とても大切なことです。しかしそれは、絶対的に母親でなければならない、というものではなく、父親や、あるいは保育者であってもよい、と、さまざまな調査結果は示しています。

ですから、3歳までにいちばん大切なことは、子どもに安心感を与え、自分はこの世の中に、生まれてきてよかったんだ、周りは自分を大切にしてくれるんだ、という、基本的信頼感、自己肯定感を育むことなのです。

また、たとえ3歳までにいろいろな事情で、じゅうぶんな安心感を育むことができなかったとしても、それで手遅れということは決してなく、3歳以降でも、いくらでも取り返しがつく、ということも知っておいていただきたいと思います。

Q10

子どもの悩みがわかったとしても、どう接したらいいかわかりません

アドバイス

子どもの悩みをわかってやるだけでじゅうぶんです。「つらかったんだね」「嫌だったんだね」と伝えてください。

わかってやるということだけで、子どもにとってたいへんな支えになります。

私たちは、悩みを聞くと、すぐ何らかの対処法を示さないといけないように思います。

そこで何かいい方法があれば教えてやればいいのですが、世の中には、どうしようもないこと、また自分で乗り越えるしかないこともたくさんあります。

相手は、まず、自分のつらさをわかってほしいのです。

ですからこちらは一番に、「つらかったんだね」「嫌(いや)だったんだね」などと、わかったということを伝えてほしいのです。

自分で言ったのと、相手から
自分の言ったことが返ってくるのとでは
違ってきます。
相手から返ってくると
「わかってもらえた」という
気持ちになります。

その安心感が心の支えになり、
苦しみを乗り越える
力になるのです。

Q11

きょうだいの個性に応じた育て方は？

私のところには、3人の子どもがいますが、きょうだいでもそれぞれ性格が違(ちが)います。

いちがいには言えませんが、一つのパターンとすると、こういう場合があります。

一番上

親も最初の
子育てで
力が入ります

アドバイス

ちょっと枠(わく)を
はずして
いたずらを
奨励(しょうれい)すると
いいです

真ん中

親も
アバウトに
なっています

アドバイス

上と下に挟(はさ)まれて
親の目が届きにく
く、さびしがり屋
だったりします。
その場合、意識し
て、よけい構って
やるといいかもし
れません

一番下

甘えっ子

親だけでなく
お兄ちゃんや
お姉ちゃんも
手をかけています

アドバイス

自立心を養うために
なるべく自分でさせる
ようにするといいです

上と年が離れている場合は、親は半分子育てが終わったような気になっていて、子どもの世話を周りに任せきりにしていることもあります。そういうときは、お母さんがもう1度しっかり関わるほうが、自立が進む場合もあります。

時には、お母さんと子ども、一対一のラブラブタイムを作ってみてはいかがでしょう。

ふだん、自分よりも弟、妹のほうが大事なんだ、とすねている子も、こういうことによって、やっぱり自分も大切にされているんだ、と感じることができるようになります。

その間
おまえたち
は家で
お父さんと
ラブラブ
だぞー
えーー
やだー

今日は
私が
独り占め！

Q12

子どものけんかに親が入ってもいい？

アドバイス

基本的には、きょうだいげんかには、親は立ち入らない。子ども同士のけんかにも、親は立ち入らない。これが原則です。

子どもは、けんかによって人間関係を学んでいきます。

たとえけんかをしていても、次の日にはお互い(たが)ケロッとして、一緒(いっしょ)に遊んでいます。

それに、へたに大人が介入(かいにゅう)するから、こじれるのです。

やめろよっべ!
そっちのほうが大きい!!

けんかは基本的にやらせておく。
そのあとの悔しい気持ちをしっかり聞く。
そうすると翌日、また仲直りできるのです。

× 子どものけんかに親が入る

○ 子どものけんかには介入せず、後でフォロー

お母さーん
隣のタケシ君に
ぶたれたよー
いきなり
だよー!!
まあ、
それは嫌
だったね
でねっ
こー言ったらね!
――ごちん
とねっ
――
それでねっ
―― ――
うん
うん
そうだったの
かわいそうに
――でも何も言わずに
自転車を使ったのは
よくなかったね
なで
なで
――うん
……そうだね
翌日――
わー
わー

ただ、子どもがまだ2～3歳以下で、人との関わり方がまったくわからないときは、大人が入って、いろいろと教える必要があることもあります。

Q13

子どもが宿題や、持ち物の準備など、
やるべきことをやりません。

口うるさく言っても、
ちっとも効果がありません。

どうしたらいいでしょうか

今後どうしていくか、
これを問題所有の原則で考えてみましょう。

問題所有の原則とは？

子どもの問題は子どもに解決させる
子どもの問題を大人のほうに
取ってしまわない

これは、本来、子どもが悩むべきことであって、
親が悩むべきことではないのです。
もちろん、子どもが助けを求めてきたら、

遅刻しないように！
友達ちゃんとできてる？
忘れ物はない？
宿題はやったの？
先生から注意されてない？

適宜サポートしていく必要はありますが、子どもが聞いてきてもいないのに、親があまり心配して、口出しすると、子どもは、ただでさえ悩んでいるうえに、親の心配まで解決しないといけなくなり、2倍、3倍、苦しくなります。

親は、ちゃんと親の持ち分を解決して（解決できないことも多いが）、子どもに必要以上の心配をさせない。そのかわり、子どもが悩むべきことは、子どもにちゃんと悩ませる。

そのためには、できるだけ口出しをしない、手も出さない。

子どもに任せてやると、一時は、今までやっていたことをやらなくなることもありますが、しだいに、自分でやろうとする意欲を持ち始めます。

× 口うるさく言っても効果はない

子どもに解決させる

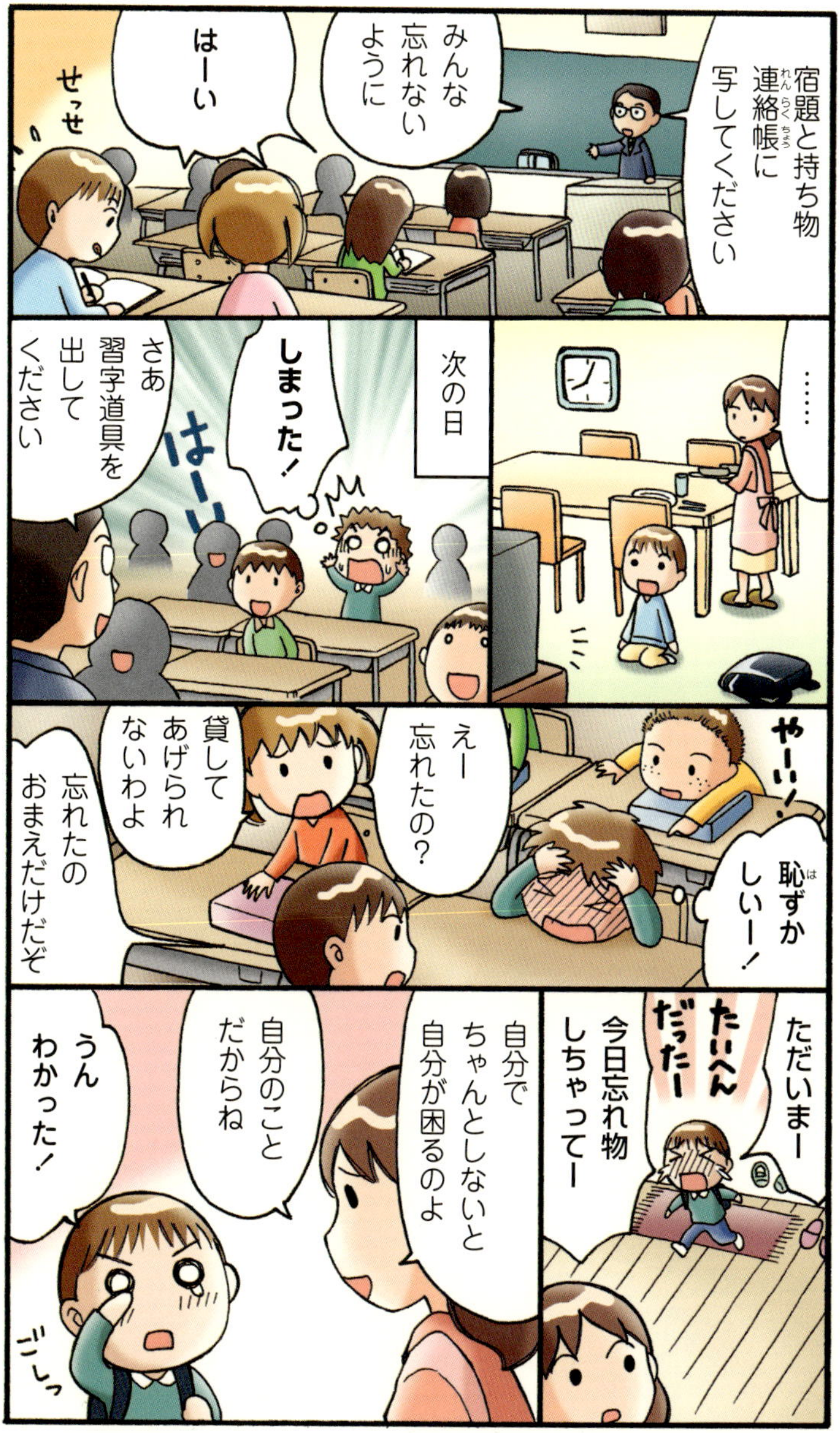
宿題と持ち物
連絡帳に
写してください
みんな
忘れない
ように
はーい
せっせ
……
次の日
さあ
習字道具を
出して
ください
はーい
しまった！
やーい！
恥ずかしいー！
えー
忘れたの？
貸して
あげられ
ないわよ
忘れたの
おまえだけだぞ
ただいまー
たいへん
だったー
今日忘れ物
しちゃってー
自分で
ちゃんとしないと
自分が困るのよ
自分のこと
だからね
うん
わかった！
ごしっ

Q14

悪いことをしたのに、少しも
自分の非を認めようとしません。
人のせいにばかりして、謝りません。

どのように話をすれば
いいのでしょうか

「自分の非を認めようとしないのは、プライドが高くて、傲慢だから。だから、そういう子は、きつく叱って、そのプライドの高い鼻をへし折ってやらなければならない」と、ふつう思います。

しかしそうでしょうか。

本当にプライドの高い、自己評価の高い子であれば、むしろ、自分の非を認めることができます。相手に謝ることができます。

非を認めることができないのは、一見、プライドが高そうに見えても、実は、逆に、自己評価がとても低いからなのです。

すでに相当、自己評価が低くなっている子が
自己評価
ここだけは守らなきゃ！
自分の非を認めると──
謝りなさーい！
う～う～
自分の存在価値はゼロになってしまいます
あー！
0
やっと認めたな
パンパン

少なくとも、本人はそう思います。自分が全面否定されるのです。全面否定されたら、生きていけません。だから、必死に、自分は悪くない、と主張するのです。

では、どうして、子どもがこうなるか、ということですが、よくあるのが、叱られすぎている場合です。

叱られすぎて、自己評価がとことん下がっているために、これ以上、自分の非を認めることができないのです。

アドバイス

非を認めさせようと、徹底的に追い詰めるのではなく、いったん、この子の言い分を認めてやりましょう。

本人なりに、叱られまいと努力した部分を認めてやる。

そのうえで、でも、こういうことは、よくないよね、と言うと、比較的すんなり言うことを聞いたりします。

そう、お友達が散らかしていったのね
それじゃあしょうがないわね
そうだよ！
でもこれじゃあ危ないし、気分も悪いわ
どうしよう
やっぱり片づけるしかないわね
——あら！

もう一つ、あるのが、完璧主義の子の場合です。
そういう子は、ちょっと叱られても、全部を否定されたように思います。こちらは１００のうち、10が間違いだよね、と言っているのに、本人は、１００全部否定されたように思っています。

どうして先生にちゃんとごあいさつできないの？
ああ……もう私は何もかもダメだ……
ダメ人間だ……
あなたは優しいし、明るいし、先生にもよくほめられて、お母さんの自慢の子なのよ
だからあとはあいさつだけできるようになろうね
それさえできればほかに言うことは何もないよ
うん

アドバイス

きちんと言葉にして、90は、すごくいいよ、だから、あと10だけ、改めようね、と言っていくのです。

Q15

体罰は、本当にいけないのでしょうか

親から厳しい体罰を受けて育ちました。そのときは、嫌でしたが、今ではそうまでして厳しく教えてくれたことに感謝しています。

体罰を肯定する人の多くは、実は、自分自身、親から体罰を受けてきている人です。その中には、おっしゃるように、体罰を受けてよかった、という人もあります。

しかし、それはむしろ、悪いことは悪いと、厳しく教えてくれた、ということがよかった、ということではないでしょうか。

方法は体罰でなくてもよかった、

あるいは体罰そのものは、

本当は、嫌だったのではないでしょうか。

もし、体罰を受けたことが、とてもよかった、と思える人は、それは、よほど体罰と同時に、「おまえが大切だ」という肯定的なメッセージを受け取っていた人だと思います。

それは、その親御さんが、本当にりっぱな人だったのだと思います。


しかし私たちが、子どもに体罰をするとき、果たして同じように、肯定的なメッセージをきちんと伝えきれるでしょうか。

小さい子どもには、体で知らせるしかない、といわれます。ですが、小さい子どもでも、体罰以外の方法で、悪いことを悪いと知らせる方法はあります。

体罰を加えると、そのときは言うことを聞くようになるが、長期的には、暴力的になったり、反社会的になったり、という悪影響が出てくるという調査結果が出ています。

2002年、アメリカで体罰を受けた3万6千人を対象にした調査では――
体罰は一時的には親の命令に従う「効用」がある一方――
長期的には
1. 攻撃性が強くなる
2. 反社会的行動に走る
3. 精神疾患を発症する
などのマイナス面が見られることが判明しました
日本でも、体罰を用いて育てられた場合、特に言葉、社会性の発達に、はっきりと後れが生じることが明らかになりました
（大阪レポート＊）

＊大阪において、同年に生まれた子ども2千名を、0歳から6歳まで追跡調査し、乳幼児の心身発達と環境との関係を調べた有名な調査

体罰を肯定する人は、自分が受けてよかったから、と思われてのことでしょうが、たとえば、自分が飲んで治った薬でも、その後の調査で、長期的に見れば深刻な副作用が出る可能性があるとわかれば、自分の子どもには飲ませないと思います。もし、ほかに副作用のない薬があるなら、そちらを使うのではないでしょうか。体罰も同じだと思います。

あ！
子どものためにいいことなんだ！
ペンペン
ごめんなさーい!!
子どものために――!!
バシッ
10年後
やっぱり体罰はよくなかったのか……！
ブッ殺す
ひぃぃ…

親と子のほのぼのエピソード③

読者の皆さんからの投稿のページです

五歳の長女が、「昨日、ハム太郎が夢に出てきて、楽しかった」。「いいねえ、楽しい夢見て」と私。

すると、いきなり自分の額と私の額をぴったりつけて、「これで、今日お母さんも、ハム太郎の夢、見られるよ」。

このごろ、少々疲れぎみで、子どもたちに、つらく当たってばかりいたのに、優しい長女の一言に、涙が出そうになりました。


（広島県　37歳・女性）


私は息子に、日ごろあいさつすることを教えています。

朝起きたら「おはよう」、お昼は「こんにちは」、夜は「こんばんは」。

「こんにちは」は、まだうまく言えないらしく、頭をペコリと下げます。

ある日、スーパーに買い物に行ったときのことです。息子をカートに乗せて店内を回っていると、店内放送が入りました。

「こんにちは。本日は……」

見ると、息子も頭をペコリと下げているではありませんか。その姿が、たいへんほほえましく、とてもかわいく思えました。

家でもテレビに向かって、あいさつしています。

私は、あいさつというのは、これから生きていくうえで、とても大切なことだと思っているので、息子がしてくれるようになって、とてもうれしく思います。


（愛知県　28歳・女性）

娘が二歳のころ、私が風邪をひくと、心配して、何度も何度も、寝ている私のそばにやってきては、「いい子いい子してあげる」と言って頭をなでてくれました。

「熱が早く下がりますように」ということなのでしょうが、私がうとうとすると、ちょうどやってきて、起こされます。「ありがとう、でも少し休ませて」と言っても、あいかわらずやってきて、なかなか休むことができませんでした。

少し大きくなってからは、「熱が下がったら、おっちゅっちゅ（キスのこと）十回しようね」と、鳥がキスをしている絵がかいてある手紙をもらったりしました。

今思えば、風邪をひいたときは、心温まる思い出が多くあります。

（東京都　57歳・女性）

私の姉の話です。

おい（姉の息子）が、五歳の誕生日を迎えました。

姉「お誕生日おめでとう」

子「かあちゃんも、おめでとう」

姉「何で？　かあちゃんも？」

子「ぼくを産んでくれた日やけんよ。とうちゃんが帰ってきたら、とうちゃんにも、おめでとう言うてあげるんよ」

姉は、まさか産んでくれたことに感謝してくれるとは思わなかったそうで、深い感動に包まれたそうです。

「これがあるから子育てもがんばれる」と言っていました。

私にも、こんな日が来るかなーと、一人楽しみにして心がほのぼのするのでした。

（徳島県　26歳・女性）

親と子のほのぼのエピソード④

読者の皆さんからの投稿のページです

★二歳六カ月になる息子が、お昼を食べているときに、「おいしいねぇ～、おいしいねぇ～」と言ってくるので、私もそれに対して「おいしいねぇ～」と返事をしていました。

しばらくすると、「かあさん……」と言うので、「なぁ～に～？」と聞くと、「すき！」と……。

いくら息子でも、ちょっと照れてしまい、「ありがとう」と返事をしました。すると、「チュー」と言って、私にチューしようとするので、うれしかったのですが、恥ずかしくて、「いいよぉ～」と返事をしたら、息子も笑って、また、お昼を食べ始めました。

「悪かったかなぁ～」と思ったのですが、「本当に分かって言ってくれてるのかなぁ～」っていう思いもしながら、「今度、同じことを言ってくれたら、息子にチューしてもらおう」と思いました。ごめんね、ありがとう。

（宮崎県　31歳・女性）

★娘が幼稚園から、ピーマンをうれしそうに持って帰ってきた。「みんなで埋めた！」（植えた、の間違いだろう）と言う。
私「どうやって食べる？」

娘「食べたらダメ！」

私「じゃ、どうするの？」

娘「んー？」

ニコニコしながら、お皿にピーマンを載せた。「飾っておく♡」

新鮮なうちに食べたほうがおいしいのにな あ、と心の中で思う母。

二日め。相変わらずピーマンはお皿の上。私は、食べられなくなると思う気持ちが強いけれど、娘がピーマンを大切に思う気持ちは大切にしなければ。このまま腐らせてしまうのも、もったいないけれど、これも一つのいい思い出になるね。

六日め。日増しに、お皿の上でしわしわになっていくピーマンを見ながら、娘に、ピーマンにも命があることを話した。幼稚園で先生やお友達と、毎日水をやり、大切に育てたこと。ピーマンが実り、それを手でもぎ取って、家に持って帰ったこと。毎日少しずつピーマンにしわが増え、悲しい気持ちになったこと。

「このままだと、ピーマンはしわしわになって腐ってしまうよ。どうしてあげることが、ピーマンはうれしいかな？」

私の問いに、娘は黙り、しばらくして――

「明日食べてあげよう」と小さな声で言った。

娘なりに一生懸命考え出した答え。私も笑顔で「そうしようか！」と答えた。娘の気が変わらないうちに料理して、皆でおいしく頂きました。

忙しさを理由にせず、家庭の中の小さなことも見逃さずに、子どもの気持ちを大切にしていきたいと思いました。ピーマンに感謝。


（徳島県　37歳・女性）

Q16

祖母に過保護にされたせいか、
わがままな子になり
言うことを聞きません

下の子を出産したとき、3歳の息子を祖母に見てもらいました
以来、祖母に懐き、いつも一緒に寝ています
しかし、祖母に過保護にされたせいかわがままで
あれが欲しいの！
よしよし、わかったよ
下の子をたたいたり――
ぺし
たたいちゃダメって言ってるでしょ！
物を取ったりします
厳しく注意するのですが言うことを聞きません
どうして取るの!?
二度とこんなことしないでっ！

過保護にされたから、
わがままに育った、
だから、そういう子は
厳しくして、
わがままを直さなければ
ならないわ

——とふつう思います。

しかし、本当に、じゅうぶんに保護されて、大切にされて育った子どもは、決して、人をたたいたり、人の物を取ったりしません。人をたたいたりする、ということは、本人は、どこかで、自分は大切にされていない、と思うからです。

でも息子は、祖母が大好き。
その大好きなおばあさんに、
大切にされているんだから、
じゅうぶん満足じゃないの

――そうではありません。このおばあさんが、長男を大切にしてくれたことは、本当に感謝しなければなりません。でも、おばあさんは、やっぱりおばあさん。お母さんの代わりにはならないのです。

この子は、本当はお母さんが大好きなのです。

あ、コラ！
野菜を残すんじゃないの
もういい、いらない
また!!
待ちなさい!!
どうしていつもそうなの！
おばあちゃーん
しかたないよ、食べないって言うなら
もうっ！
ほんとにわがままな子ね!!
はい、アーンして♡
おいしいね！
きゃっ
ムカーッ。
本当はぼくだってお母さんと一緒にいたいのにー！
コラー！
ギュー

たたいたり、物を取ったりするのは、決して、わがままではありません。

「お母さん、ぼくのことも見て！　ぼくも抱っこしてよ！」というサインなのです。

これは、お母さんと子どもの間の心のパイプが詰まった状態です。このままでは、自分のいちばん大切な母親から、愛されているという気持ちを持てずに大きくなるので場合によっては、将来、いろいろと心配なことが起きてくる可能性があります。

弟といるときは あんなに楽しそう なのに、ぼくには いつも叱ってばかり
やっぱり ぼくのこと キライなの かな……

アドバイス

母と子のパイプ詰まりを改善するには、おばあさんの協力が不可欠です。お母さんは、叱らないようにして、注意するのは、しばらくおばあさんにお願いします。

これ、野菜を残しちゃいかん
野菜は体にいいんだよ。全部食べなさい
……
いつまで起きてるんだい？テレビはもうおしまいだよ
だいぶ言うこと聞いてるな……
あっ
バシッ
どうしたの？怒らないから訳を教えて
あいつがボクのを勝手に使うからだよ！
なでなで
そうだったの。ちゃんと訳があったのね
でもやっぱりたたくのはだめよ

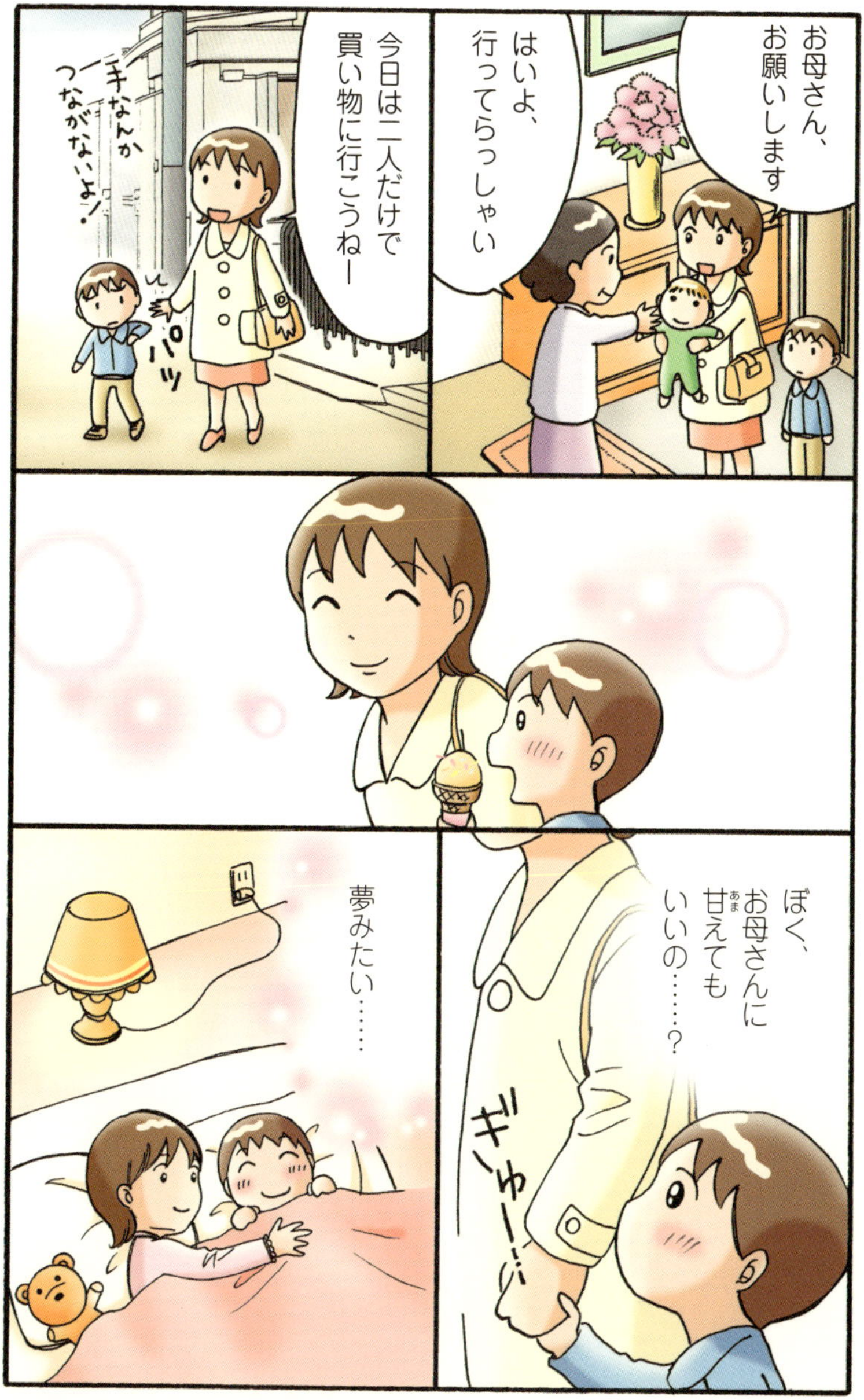
お母さん、お願いします
はいよ、行ってらっしゃい
今日は二人だけで買い物に行こうねー
パッ
手なんかつながないよ！
ぼく、お母さんに甘えてもいいの……？
ギュ〜ー
夢みたい……

こうして、親子のパイプ詰まりが解消していくとお兄ちゃんも、素直に甘えてくるようになります。

ここまで来たら、多少、長男を注意しても大丈夫です。

長男にとっては、お母さんも、自分を大切にしてくれるし、おばあさんも自分を大切にしてくれる。

お母さんとおばあさん、自由に行ったり来たりできる。

子どもにとって、こんなにうれしいことはありません。

そうして初めて、子どもは、明るく、たくましく、思いやりのある子に成長していくことができるのです。

Q17

おじいさん、おばあさんは、子どもにどう接したらいいのでしょう

おじいさん、おばあさんは子どもにとってはとても大切な存在です
お母さんはたいてい口うるさいですし
夕飯前におやつはダメよ！
おじいさん、おばあさんが唯一、子どもにとっての心の居場所になっていることも少なくありません
父さん聞いて！ぼくレギュラーに
いってきます
お父さんは仕事ばかりで家のことはほったらかしです
あげる
ぼくレギュラーになったの！
ぜひおじいさんおばあさんには長生きしてほしいと思います
私たちのためにも！体を大事にしてね

おじいさんに
お願いしたいこと
孫ができたら
ガミガミどならないように
しましょう
宿題は!?
テレビは終わり!!
帰りが遅い!!
母さんがちゃんとしつけないからっ
どならなくても
みんなおじいさんのことを
尊敬していますし
大切に思っています
いつもニコニコ
慕われるおじいさんに
なってください

おばあさんに
お願いしたいこと
ははーっ
子ども夫婦の
子育てを尊重し、
基本的には、
ほめてあげてください
あーん
あーん
よしよし
どうした
どうした
とんとん
あんたも
仕事で
疲れてるだろうに、
ちゃんと
抱っこしてやって
えらいねー
いえいえ、
私なんか
ほったらかしで……
えへへ

●決して悪意でなくても、おばあさんのちょっとした否定的な言葉で、母親は傷つくことがあります

母親は、初めての子育てで、不安もいっぱいです。そんなとき、おじいさんおばあさんから否定的なことばかり言われると、一気に心を閉ざしてしまいます。

そのときは、まず、じゅうぶん、嫁のがんばりを認め、ほめることです

あーよしよし早く泣きやんでー
イラ
イラ
夜もロクに寝てないだろうによくがんばってるねえ
ほんとよくやってる!
お義母さん……
今日も遅いのかい?
ちゃんとお嫁さんを大切にしなさいよ
たいへんだけどがんばろう……

母親が、おばあさんに支えられて精神的に安定すれば、子どもは必ずいい子に育ちます。

Q18

夫は、家のことを、私に任せっきりにしています

夫は、子どもが小さいときは、いろいろと手伝ってくれたのですが、子どもが小学校に入ったころから、まったく家のことは、私に任せっきりになっています。どう話をしたらよいでしょうか。

●妻の事情

ああ忙しい
ああ忙しい
一人じゃとてもたいへんだわ。お父さん早く帰ってきてくれないかしら……
ただいまー
ああよかった。これで少しは……
びちゃびちゃー
あっこぼしちゃダメ!!
おかわり
――ってよけいたいへんになってるじゃん
少しは起きたら!?
今日はこの子の誕生日だから早く帰ってきてね
ああうんうんそれじゃ
ごめん今日帰れない
ブチッ
おなかすいた～

●夫の事情

今回のプロジェクトには
2億の経費がかかってます！
何としてでも成功させなきゃならん！
ごめん、今晩帰れないわ
今日はこの子の誕生日なのに……
メラ
メラ
ゆるせん……
成功したおかげで部長になった
よーしバリバリ働くぞー
ほく
ほく
部長
部長、お先に失礼します
うむ
部下より先には帰れません
今日も深夜帰り!?（小声）
こっちだって一生懸命働いているんだぞ（小声）

熟年離婚の夫婦の溝は、どこからできてきたかというと、実は、子育ての時期に始まっていることが多いのです。

せっかく、家族のために働いてきたのに、そんなことになっては悲しすぎます。そうならないためには、やはり、今からでも、会話をする努力が大切だと思います。

夫が心がけること

妻から一度、言われたら、ちゃんとやる。

すぐに対応する。

妻が困っているときは必ず相談に乗る。

妻が心がけること

男の人というのは、言わなければわからないものなんだ、と割り切る。

後で不満として出すのではなく、そのつど言う。

やってくれたときに、「さすがお父さん」などと言うと、とてもやる気が出る単純な生き物なんだ、と知って、対応していく。

ただいまー
あなた悪いけどちょっと子どもたち見てくれる？
お父さんのおかげでご飯の準備ができるわ
ありがとう
うん
お父さん
子どもたちと一緒に入ってくれる？そのほうが喜ぶのよ
いいよ
あはは
わはは
ふふふ……だいぶできるようになってきたな……
にやり

ホワ～ン
あなたと結婚してよかったわ！
なんのこれくらい……
いってらっちゃい
ゴミ
ゴミ

Q19

専業主婦の妻が「疲れた」と言うのは、理解できません

私の妻は、専業主婦なのですが、最近、疲れた、疲れた、と言います。昼間は仕事もないのに、疲れた、というのが理解できません。本当でしょうか。

専業主婦なんだから、家事、育児くらいしっかりしろよ
専業主婦は、昼間は遊んでいるんだから
――と男の人はよく言います
確かに男性は競争社会の中で毎日家族のためにがんばっています
しかし、最近のデータでは
仕事を持っている女性よりも、専業主婦のほうが、ストレスを多く抱（かか）えている
といわれています
私も以前、妻の用事で、家事、育児を一日やってみたことがあります
明日は朝早く出かけるから
家のことよろしくね
わかったよ

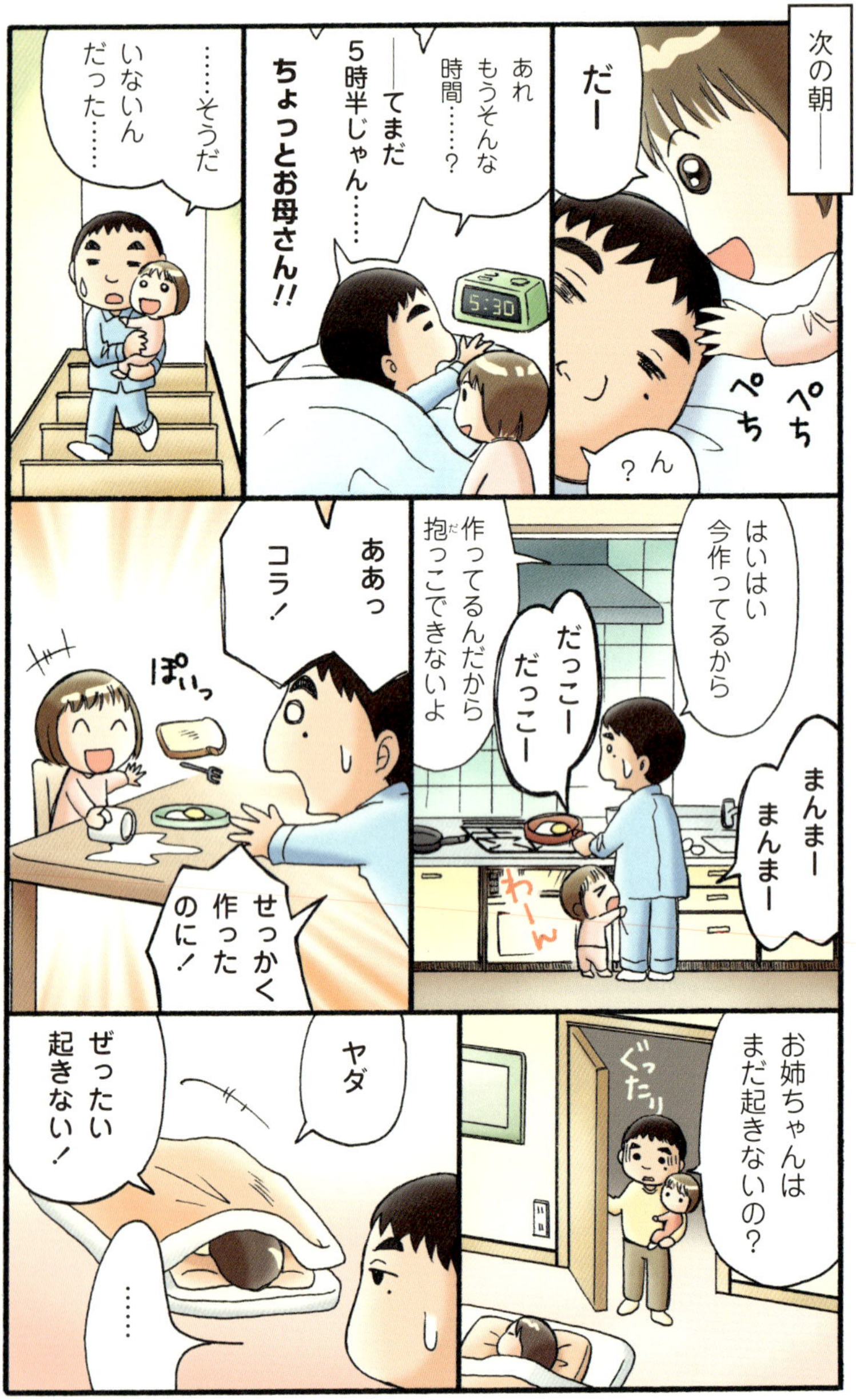
次の朝――
だー
ペチ ペチ
ん？
あれ もうそんな時間……？
――てまだ5時半じゃん……
ちょっとお母さん!!
5:30
……そうだ いないんだった……
はいはい 今作ってるから
まんまー まんまー
作ってるんだから抱っこできないよ
だっこー だっこー
わーん
ああっ コラ！
ぽいっ
せっかく作ったのに！
お姉ちゃんはまだ起きないの？
ぐったり
ヤダ
ぜったい起きない！
……

午前中に掃除、洗濯を済ませて……
てきぱき
——て掃除しているそばからおまえたち……
ちっとも片づかないよ
ビリ
ビリ
あっ
まったくいつの間に!
だめでしょ!
あっ
びろーーん
よし
イラ
イラ
イラ
公園行くぞ
ふう……これで少しは落ち着ける……
わーっ

お父さん
おなか
すいたよー
ころんだー
え、もう……?
泥だらけ〜〜
お父さん
どうしたの?
ぴちゃぴちゃー
ぐちゃぐちゃー
疲れた……
ほんっと
疲れた……
よしよし、
さあお昼寝を
しようね
うとうと〜…
とんとん!!
これがなかなか
寝ないんだよ
あ!
ぱちっ
あはははは
さあ今のうちに
残った家事を……
チャンス!!
だっ
パパー
がくっ
むくっ
しかたない
買い物でも
するか……
のるー
のるー
がーっ
いえい♪

お父さん これ買ってー
おりるー おりるー
昨日の今ごろは確か……
ふぅ……
職場で休憩していた時間だ……
懐かしい…… 昨日のことなのに……
ぽいっ
ぽいっ
ぽいっ
ぽいっ
これもおいしそー
これは仕事をしているほうがずっと楽だ……
仕事をしている人がうらやましい……
ちょっとお客さん! この子たち何とかして!
何か周囲から取り残されている感じ……
お客さん!!

専業主婦はこんなふうに一日が終わるのか……
むなしい……
ガチャガチャ
お母さん早く帰ってきて！
ぱっかぱっか
ただいまー
あ、お母さんだ！
おかえりー!!
ぴゅーん
どどどどど
！
ほんっとたいへんだったよー
これおみやげ
お疲れさま
ぷっ
お父さんありがとう
いやーぼくにはとても専業主夫はできないよ
あたた
まあそれが向いている人もいるけどね
ひょいっ

一日じゅう言うこと聞かない子どもたちと向き合っていなきゃならないでしょう?
こく こく
うん
だれが認めてくれるわけでもないしね
ぶん ぶん
うん うん
それで夫も毎日帰りが遅かったら……
ま、まぁそれは……
とにかく専業主婦がどれだけたいへんか少しはわかったよ
遊んでるとか楽だなんてとんでもないよ
これからは家に帰ってきたら子どもの面倒はぼくが見るよ
少しは解放してあげなきゃね
ほんと、お父さん!?
うれしい!!

【参考文献】

Elizabeth Thompson Gershoff「Corporal Punishment by Parents and Associated Child Behaviors and Experiences: A Meta-Analytic and Theoretical Review」(『Psychological Bulletin』128-4) 2002年

ジェズ・オールバラ作・絵『ぎゅっ』徳間書店、2000年

ジャニス・ウッド・キャタノ著、三沢直子監修、幾島幸子翻訳『完璧な親なんていない！　カナダ生まれの子育てテキスト』ひとなる書房、2002年

服部祥子・原田正文『乳幼児の心身発達と環境—大阪レポートと精神医学的視点—』名古屋大学出版会、1991年

村本邦子・窪田容子『今からでもできる人格の土台をつくる子育て』(FLC21子育てナビ①) 三学出版、2001年

窪田容子・村本邦子『子どもにキレてしまいそうなとき』(FLC21子育てナビ⑤) 三学出版、2002年

『児童心理』第60巻第2号、金子書房、2006年

もっと
もっと
ギュー
したく
なった?

〈イラスト〉

太田　知子（おおた　ともこ）

昭和50年、東京都生まれ。
イラスト、マンガを仕事とする。

平成16年に誕生した長女は『子育てハッピーアドバイス２』を執筆中に、２歳の誕生日を迎えました。

忙しくてあまりかまってやれませんが明橋先生のアドバイスのおかげですくすくと育っています。

〈著者略歴〉

明橋　大二（あけはし　だいじ）

昭和34年、大阪府生まれ。
精神科医。
京都大学　医学部卒業。

国立京都病院内科、
名古屋大学医学部附属病院精神科、
愛知県立城山病院をへて、
真生会富山病院心療内科部長。

児童相談所嘱託医、
小学校スクールカウンセラー、
富山県児童虐待対応相談チーム委員、
NPO法人子どもの権利支援センターぱれっと副理事長。
著書『なぜ生きる』（共著）
『輝ける子』
『思春期に がんばってる子』
『翼ひろげる子』
『この子はこの子でいいんだ。私は私でいいんだ』
『子育てハッピーアドバイス』など。

子育てハッピーアドバイス 2

平成18年(2006) 4月10日　第1刷発行
平成18年(2006) 5月29日　第61刷発行

著　者　明橋　大二
イラスト　太田　知子

発行所　1万年堂出版
〒101-0052　東京都千代田区神田小川町2-4-5F
電話　03-3518-2126
FAX　03-3518-2127
http://www.10000nen.com/

印刷所　凸版印刷株式会社

ISBN4-925253-22-0　C0037

子育てハッピーアドバイス

スクールカウンセラー・医者
明橋大二 著
イラスト✻太田知子

◉定価980円（5%税込）

第1弾に寄せられたお便りを紹介します

一歳の男の子を育てていて、しんどいなーと思うこともあります。

この本を読んでからは、この子のいたずらも、泣きまくることも、「なんでー！」とイライラしていたのがウソみたいに、「きっと、おなかがすいたんだなー」とか、「抱っこかな」と、考えられるようになりました。

感動しすぎてうまく表現できないけれど、我が子を大切に思う気持ち、優しく接する余裕をくれた本です。ありがとうございました。

（兵庫県　31歳・女性）

子どものことが大好きなのに、いつも育児に疲れていて、気がつくと眉間には、りっぱな縦じわが三本。

そこで、この本のアドバイスを実践してみました。

起床してから意識して「～しなさい！」を言わないように……。

すると、小学一年の長男が、朝ご飯を食べながら、

「今日のお母さん、いつもとちがう。やさしい。いつもこんなお母さんだったらいいのに……」

とポツリ。

「そう？」と答えつつも、内心、「そんなにいつもと違うの？」と驚きました。私が、ほんの少し心がけるだけで、こんなに子どもに与えるものが違うなんて、目からウロコでした。

（福井県　35歳・女性）

★読者の皆様のページ★

四歳の娘と、二歳の息子がいます。毎日、おもちゃの取りあいなどのケンカが絶えません……。ついついどなってばかり。理由もまともに聞かず、下の子をかばい、上の娘をしかってしまいます。
　娘が「だって……」って言っても、「だってじゃない！」って言ってしまいます。後で冷静になると、いけないことだと分かるのですが、その時は、カッとなって……。
　この本を読んで、もっと娘を抱きしめ、「甘えさせる」ことが必要だと気づきました。当たり前のことなのに、忘れていました。「がんばってるね」「ありがとう」を言うように心がけます。しかる前に十秒数える……。やってみます。ありがとうございました。

（奈良県　31歳・女性）

八歳になる長女が、新聞で案内されているこの本の、「10歳までは徹底的に甘えさせる」という見出しを指さして、私の顔を見ました。
　私はハッとして、「この子は甘えたいのだなぁ～」と実感しました。確かに三つ下の妹がいるのですが、下の子は甘え上手で、長女はあまり甘えません。
　この本を読んで、甘えないのではなく、甘えられないのだと気づきました。
　こんな思いを気づかせてくれて、ありがとうございました。

（福島県　32歳・女性）

二人の息子を同じように育てているのに、どうして私の思うように育ってくれないのかと悩んでいました。
　でも、この本を読んで、長男はしかるのに注意のいるタイプ、次男はしかっていいタイプだということが分かりました。
　二人を同じように育ててはいけなかったのか……。目からウロコでした。

（愛知県　37歳・女性）

明橋大二先生のベストセラー

喜びのメッセージをお届けします

お母さんたちの共感の輪

五歳の娘を持つ母親です。二歳ぐらいから子どもとの関係に悩んでいて、このままでは、小学生になったら悪いことをしでかすのでは、不登校になるのでは、と心配が尽きませんでした。かといって、日ごろ、どうやって改善すればよいか分かりませんでした。

ふと書店で『輝ける子』を見つけました。私の悩みに対する答え、具体的な改善策が書かれていました。いつも気にとめておきたい一冊です。

（埼玉県　34歳・女性）

子どもが最近反抗的で、子育てに自信がなくなりかけていた時に『思春期にがんばってる子』を読みました。共感することが多く、とても参考になりました。「思春期に、子どもが反抗するのは、ちゃんと育ててきた証拠で、喜ぶべきことです」。この一言に、救われた気がしました。

（大阪府　40歳・女性）

輝ける子

◉ 定価1,260円（5%税込）

思春期に
がんばってる子

◉ 定価1,365円（5%税込）

この子はこの子でいいんだ。
私は私でいいんだ

◉ 定価1,260円（5%税込）

翼ひろげる子

◉ 定価1,260円（5%税込）

どんどん広がる

中三、中一、小五と三人の子どもがいます。中一の男の子が、何でもないことに怒り、どう接していいのか分からない時があります。『思春期にがんばってる子』を手にした時、なるほど、なるほどと思うことばかりでした。子どもの心の声が聞こえてくるようでした。しっかりと受け止めてやりたいです。

（鹿児島県　45歳・女性）

『翼ひろげる子』は、親子や周りの人と、子どもの関係を、「パイプの詰まり」という分かりやすい言い方で表し、その段階を大きく分け、解決に向かって進んでいく方向が示されており、とても分かりやすかったです。

教員という仕事柄、たくさんの保護者の方や子どもたちと話しますが、親子関係作りの難しさを感じることが多く、とても参考になりました。

（秋田県　47歳・女性）

小四の息子が、時々学校に行きしぶるようになりました。思い当たるストレスの原因はできるだけ取り払ったのに、なぜ学校に行けないのか、と心配でなりませんでした。しかし、『翼ひろげる子』を読んで、子どもだけの問題ではなく、そのまま親の問題、家庭の問題であることに、初めて気づかされました。

明橋先生の本を読み返しながら、心の支えとしていきたいと思います。（山形県　37歳・女性）

『この子はこの子でいいんだ。私は私でいいんだ』

まず題名を見て、ぐっとくるものがありました。

周りからは「親の口のきき方、態度が悪いから、子どもも悪いんだね」と言われます。

実母からは「おまえがきちんとしていないからだ！　私までも悪く言われて、迷惑だ」と責められています。

学校からも「お母さんが、もっと目をかけてあげないと……」と言われる始末。

私はダメ母なの？

なんでも私の責任なの？

毎日毎日悲しくて、それでも仕事では笑顔でいなくてはいけないし……。

そんな私に差しのべられた貴重な一冊です。

（青森県　37歳・女性）

★★★★ 明橋先生（共著）のロングセラー ★★★★

なぜ生きる

高森顕徹 監修　明橋大二（精神科医）
伊藤健太郎（哲学者）著

◉定価1,575円（5%税込）

　生きる目的がハッキリすれば、勉強も仕事も健康管理もこのためだ、とすべての行為が意味を持ち、心から充実した人生になるでしょう。病気がつらくても、人間関係に落ち込んでも、競争に敗れても、「大目的を果たすため、乗り越えなければ！」と〝生きる力〟が湧いてくるのです。

（本文より）

　明橋先生の『**輝ける子**』を読み、とても分かりやすく、写真も美しく、心がなごみました。とても興味をひかれ、続けて『**なぜ生きる**』を購入いたしました。
　初めは、「少し難しそうだな？」と思ったのですが、読んでるうちに止まらなくなり、二日で読み終えてしまいました。
　生きることの大切さ、人の命の尊さを、改めて実感しました。自分を大事にし、人も大事にして、これから先の、山あり谷ありの人生を、悠々と生きていきたいと思いました。ありがとうございます。

（岡山県　36歳・女性）

　読み進めていくうちに、私の心の氷がとけていくようなおだやかな気持ちになっていきました。
　日々の家事や育児、思い通りにならないことのストレスから、生きることを無意味に思い始めていた毎日でした。
　生きる意味は何か、人生の目的は何か、自分に問うことができ、これから本当の幸福を感じられる自分になりたいと思いました。

（新潟県　39歳・女性）